© David M Grossman

MILK

VIVE L'AMITIÉ !

ÉDITIONS DU CHÊNE

Bien des gens entreront dans votre vie et en sortiront,

mais seuls les **vrais amis** laisseront leurs empreintes dans votre cœur.

[ELEANOR ROOSEVELT]

M.I.L.K. a commencé comme un rêve et,
devenant une aventure ambitieuse,
l'entreprise a gagné en force en s'amplifiant.
Nous voyons à présent qu'elle a sa propre vie,
ce n'est plus un projet, c'est

une offrande.

Ces photos extraordinaires réalisées aux quatre coins de la planète sur les trois thèmes de l'amour, de la famille et de l'amitié sont le fruit d'une formidable aventure. Un projet démesuré, un peu fou, qui a commencé par un appel lancé aux photographes du monde entier par une petite maison d'édition néo-zélandaise, M.I.L.K. Il s'agissait, ni plus ni moins, d'immortaliser et d'exalter, par la photographie, ce qui fait l'essence même de l'humanité.

Créée pour la circonstance, M.I.L.K., dont les initiales signifient *Moments of Intimacy, Laughter and Kinship* – que l'on pourrait traduire littéralement par « Moments d'intimité, de rires et de fraternité » –, lance donc un concours photographique planétaire doté de récompenses très attrayantes et présidé par le célèbre photographe Elliott Erwitt. Objectif de ce prix M.I.L.K. : inciter des artistes du monde entier à participer à « l'événement photographique de notre temps ». Afin que le plus grand nombre de pays soient représentés, les organisateurs n'ont pas hésité à contacter individuellement des photographes de chacun des 192 pays du globe.

« Pour répondre à nos critères de jugement, explique Geoff Blackwell, directeur du projet, leurs travaux devaient raconter d'authentiques histoires, chargées d'une émotion réelle et spontanée. » Près de 17 000 photographes, issus de 164 pays – ce qui était inespéré – ont participé. Parmi eux, une multitude de lauréats de prix divers (dont pas moins de quatre Pulitzer), des professionnels mais aussi des amateurs de talent originaires des cinq continents. Au total, M.I.L.K. a reçu plus de 40 000 clichés, certains amoureusement empaquetés dans des sacs de toile cousus, d'autres, accompagnés de chaleureux messages d'encouragement : 40 000 inoubliables portraits de la vie et de la condition humaine, de ses premiers instants fragiles à son dernier souffle.

Né d'un rêve, ce projet est devenu une véritable épopée photographique qui a donné naissance à ce livre, émouvants fragments de vie rassemblés, qui paraît en même temps dans de très nombreux pays : États-Unis, Canada, Grande-Bretagne, Italie, Espagne, Australie, Brésil, Pays-Bas, Suisse, Autriche, Irlande du Nord et, bien sûr, Nouvelle-Zélande.

En le feuilletant, sans doute vous reconnaîtrez-vous dans certains portraits. Ces moments vécus par d'autres sont aussi les vôtres, les nôtres. Tolstoï écrivait, à propos de l'art, que les émotions qu'il suscite ne devraient pas être réservées à une élite mais être accessibles au plus grand nombre, un idéal totalement partagé par l'équipe de M.I.L.K. Ces images parlent à chacun d'entre nous dans toute leur clarté, leur universalité et – osons un terme galvaudé – leur joie.

MAEVE BINCHY

Lors de mon premier jour d'école, une petite fille m'a demandé d'être sa meilleure amie. Nous avions cinq ans. Nous portions toutes deux des pulls aux couleurs vives et des rubans dans les cheveux qui nous donnaient l'air de cacatoès. « Qu'est-ce qu'il faut que je fasse ? » ai-je demandé avec inquiétude. Il s'était déjà passé beaucoup de choses ce jour-là, j'étais devenue méfiante. « Je ne sais pas », reconnut-elle. « Mais il paraît que c'est bien d'avoir des amis. »

Et comme elle avait raison ! Quelle sagesse, à cinq ans ! Elle s'appelait Jillyann, et j'ai tout de suite donné son nom à l'une de nos poules, pour marquer que nous étions amies et que c'était bien. Nous habitions une banlieue de Dublin et élevions onze poules dans un petit jardin ; elles ont fini par porter des noms comme Jillyann, Celeste, Eunice, Mary et Philippa, en hommage à l'amitié. Elles ont gloussé jusqu'à un âge avancé, mais quand elles sont toutes tombées du perchoir, leur temps accompli, les amitiés ont survécu. Des amitiés qui ont éclairé ma vie, comme l'amitié l'a fait partout et de tout temps.

Honnêtement, je ne sais pas comment on peut vivre sans amis. Des gens avec qui partager des secrets, des espoirs et des rêves. Des gens même prêts à partager humiliation, honte et pertes.

Des gens avec qui rire sans raison, chanter les mêmes chansons, lire les mêmes livres, ou qui nous diront ce que personne au monde ne nous dira : que notre dernière coloration était une terrible, terrible erreur.

Comment vivent-ils, ces gens heureux et fiers d'être si indépendants qu'ils déclarent haut et fort n'avoir pas besoin d'amis ? Ce numéro, le jouent-ils par nécessité, parce qu'ils se retrouvent sans ? Ont-ils peur de faire confiance, de s'ouvrir ? Peur d'être ouvertement naturels dans un monde où il est si important de jouer le rôle de celui pour qui tout va bien même quand c'est manifestement loin d'être le cas ? Y a-t-il de la dignité à pouvoir se suffire à soi-même, à être une île dépourvue de tout contact ?

Voilà vingt-cinq ans, j'ai quitté la petite société irlandaise, où chacun en savait bien trop sur tout le monde, et suis allée vivre dans l'immense anonymat de Londres où on peut croiser des millions de gens chaque jour sans en connaître aucun et sans qu'aucun ne vous connaisse.

Mais je n'ai jamais compris comment tant de gens semblent faire une vertu de n'avoir pas d'amis. Dans la rue voisine vivait un monsieur, un grand bonhomme aux yeux tristes, il descendait toujours la rue d'un pas lent, le dos raide. Il ne regardait jamais ni à droite ni à gauche, ne saluait personne. Je le saluais, bien sûr, non par gentillesse ou générosité, simplement parce que dans le pays d'où je venais on avait l'habitude de saluer les gens du voisinage et d'échanger quelques mots avec eux. Il regardait autour de lui d'un air surpris comme si je m'adressais à quelqu'un d'autre, mais il était content de répondre à ce qu'il devait prendre pour des questions personnelles sur ses préférences en matière de temps, de programmes télévisés ou le moyen de faire pousser quelque chose dans le sol anémié des jardins londoniens.

Il a répondu plus facilement quand il a compris que je n'avais pas l'intention de m'installer chez lui, mais il n'est jamais allé jusqu'à me demander quoi que ce soit à mon sujet. Peut-être manquait-il de courage, voire d'intérêt ? Un jour, je lui ai demandé où habitaient ses amis. « Des amis ? »Il a lâché ce mot comme si je lui avais parlé de Martiens. J'ai laissé tomber le sujet. Quand il est mort, il n'y avait presque personne devant sa maison le jour où les pompes funèbres sont venues le chercher. J'entendais les voisins dire que c'était quelqu'un de bien parce qu'il se suffisait à lui-même. J'aurais voulu crier que s'il était assurément un brave homme, ce n'était pas parce qu'il se suffisait à lui-même, mais précisément en dépit de cela.

En tant qu'enseignante, voyageuse et écrivain, j'ai parcouru bien des parties de ce monde, et partout et toujours j'ai été touchée par des images d'amitié. De petits bouts de chou sur le chemin de l'école à Bali, cueillant d'immenses feuilles de bananier pour se protéger mutuellement alors qu'une averse tropicale menaçait leurs chemises immaculées. Ils couraient en riant pour échapper aux larges gouttes de pluie. Deux vieillards d'Athènes si bien absorbés par leur partie d'échecs quotidienne qu'ils ne remarquaient ni l'animation qui bourdonnait autour d'eux, ni les touristes qui les bousculaient... Ils se menaçaient du doigt en souriant comme si l'autre avait triché. Quatre matrones hilares sur une plage de Bulgarie, manifestement amies de longue date, s'échinant à des exercices de gymnastique parmi une foule de femmes bien plus agiles qu'elles, sans se sentir déplacées, simplement parce qu'elles le faisaient ensemble.

En Écosse, des garçons qui jouaient divinement au football dans le stade de rêve qu'ils avaient créé dans une vieille cour, improvisant des buts avec leurs vestes. Des New-Yorkais faisant du shopping, qui échangeaient des bourrades enthousiastes à l'idée de la bonne affaire qui les attendait au coin de la rue. Des joueurs de golf au Canada s'expliquant inlassablement la technique du swing et compatissant quand l'autre avait malgré tout raté. Deux couples, irrémédiables perdants à Las Vegas, s'essuyant mutuellement les larmes à l'aide de grands mouchoirs bariolés, et disant qu'ils devaient s'estimer heureux d'avoir laissé leurs billets d'avion à l'aéroport, ainsi, ils n'avaient pas pu les revendre. Deux jeunes mamans qui avaient tout fait ensemble, fiançailles, mariage, premier bébé, protégeant leur progéniture des rayons du soleil sur la plage de Bondi, en Australie, chacune s'occupant de l'enfant de l'autre comme si c'était le sien.

J'aurais souvent voulu éterniser sur la pellicule cette chose merveilleuse et enrichissante qu'est l'amitié, c'est donc une joie pour moi de parcourir les images de ceux qui l'ont fait. Elles prouvent, si besoin est, que l'amitié n'implique pas qu'on soit issus du même milieu, qu'on partage les mêmes intérêts. Une amitié peut s'épanouir sur le terrain le plus inattendu, le plus ingrat.

Quand j'étais étudiante, j'ai eu pendant quatre ans un ami passionné de boxe – sport que je déteste. Comme il n'était jamais allé au théâtre, je l'ai emmené voir *Long Day's Journey into Night*. Il dit qu'il avait trouvé la pièce intéressante, mais qu'elle ne lui avait pas vraiment plu. Pourquoi est-ce qu'ils ne se secouaient pas un brin, n'arrêtaient pas de boire et de se lamenter pour s'en sortir ? À charge de revanche, il a bien fallu que j'assiste à un match de boxe. J'ai détesté cela en me demandant pourquoi ils ne pouvaient pas se serrer la main et sortir du ring pour aller manger une pizza ensemble.

Notre amitié a survécu à ces épreuves, parce que nous avions beaucoup d'autres choses en commun, le club de discussion, le jeu d'échecs, les romans policiers, l'importance d'enseigner, l'horreur des calembours et la conviction de ce que la vie allait devenir meilleure. Il a continué à s'occuper d'une équipe de jeunes boxeurs, ce qui ne m'a jamais enthousiasmée. J'ai continué à écrire des pièces de théâtre où il se serait sans doute endormi. À la fin de nos études, nous ne nous sommes guère revus. Mais je l'ai rencontré plusieurs fois depuis, et le langage commun de l'amitié est toujours là, le sentiment qu'il n'est pas nécessaire d'expliquer ni de replacer les choses dans un contexte. Il n'y a rien de meilleur. Comme nous n'avons jamais été amoureux l'un de l'autre, nous ne nous disputons pas pour savoir qui a quitté l'autre.L'amitié est à bien des titres plus pure que l'amour, ce type d'engagement sexuel exigeant que tout autre soit exclu de la relation.

Je déborde de joie à l'idée que mes amis ont beaucoup, beaucoup d'autres amis que moi, mais je ne fais pas preuve de la même largesse d'esprit envers mon « Amour ». Je serais profondément perturbée et irritée – pour ne pas dire bouleversée – d'apprendre qu'il a eu un autre amour que moi. Il n'est donc pas étonnant que l'amitié soit plus facile à gérer. Et si chez d'autres l'amour peut être déroutant, intrigant, agaçant ou inconsidéré, leurs amitiés sont toujours émouvantes.

Ma mère avait une amie que je trouvais très bizarre et pas assez bien pour elle. Elles travaillaient toutes deux comme infirmières depuis de longues années et avaient parcouru un très long chemin ensemble. Cette femme était élégante, présentait bien, très consciente de l'image qu'elle donnait d'elle-même, tandis que ma mère, une forte femme, généreuse et enjouée, était à l'opposé. L'amie de ma mère aurait eu un geste de recul à l'idée des mains poisseuses qu'un enfant tendrait vers elle par affection, et pourtant ma mère tenait beaucoup à elle comme amie. Elles pouvaient passer des journées à parler du Foyer des infirmières et à évoquer le temps où elles révisaient leurs cours d'anatomie sur un squelette qu'elles avaient acheté ensemble avec de l'argent gagné en misant sur un cheval.

Il était tonifiant de les observer, car, en dépit de leurs apparentes différences sociales, elles n'étaient au fond que d'innocentes jeunes filles et les marques de la maturité semblaient quitter leurs visages quand elles parlaient du passé, du présent et de l'avenir.

Je me souviens du soir où ma mère a appris le décès de son amie. Elle n'est pas allée se coucher. Elle est restée assise à la fenêtre, regardant la nuit au dehors, et aucun de ceux qui l'aimaient n'a pu la consoler, ni son mari ni ses enfants.

« C'était mon amie – nous n'avions pas besoin de nous expliquer quoi que ce soit », ne cessait-elle de répéter.

Une amitié ne remonte pas nécessairement loin dans le temps, elle peut être tout aussi exaltante dès le début. Récemment, nous étions huit à effectuer un voyage de presse au cours duquel tout ce qui pouvait aller de travers est effectivement allé de travers, intoxication alimentaire, accident de la route, morsures de serpent, jusqu'à un ministre d'un lointain pays profondément offensé par je ne sais quoi. Mais nous avons survécu, et, tels les survivants d'un naufrage, nous restons indissolublement liés par cette amitié née dans l'horreur.

Il est pour moi hors de doute que l'amitié est plus aveugle que l'amour. Je n'ai aucune idée, par exemple, d'à quoi ressemblent mes amis. J'aurais du mal à vous le dire, car, s'ils sont mes amis, je ne vois rien d'autre que leurs sourires, leur impatience d'entendre ou de dire quelque chose de nouveau, leur conviction que j'ai aussi quelque chose de bien à dire. Je ne pourrais pas dire que l'un était un petit gros au crâne chauve, ou qu'une autre, à l'élégance époustouflante, faisait dix ans de moins que son âge. Cela n'a rien à voir. De même que la plupart des gens sur ces photos seraient incapables de vous dire comment leurs amis sont habillés, je ne saurais pas dire ce que portaient les miens la dernière fois que je les ai vus. C'est la compagnie, le fait de s'accepter mutuellement, la capacité à partager, le langage commun qui comptent pour moi, à l'exclusion de toute autre chose.

J'ai été profondément émue par ces images de bons moments rendus encore meilleurs et de mauvais moments oubliés grâce à la magie salutaire de l'amitié. Puisse la joie de leurs amitiés et des vôtres vous rendre l'âme heureuse pour toujours.

MAEVE BINCHY DUBLIN

© Thanh Long

Le rire est le plus court chemin

entre deux êtres.

[VICTOR BORGE]

Un ami est comme un autre soi-même.

[CICÉRON]

plaisirs partagés.

[KAHLIL GIBRAN]

Que la douceur de l'amitié soit faite de rires et de

Une **joie** partagée augmente du double.

Un chagrin partagé diminue de moitié.

[PROVERBE SUÉDOIS]

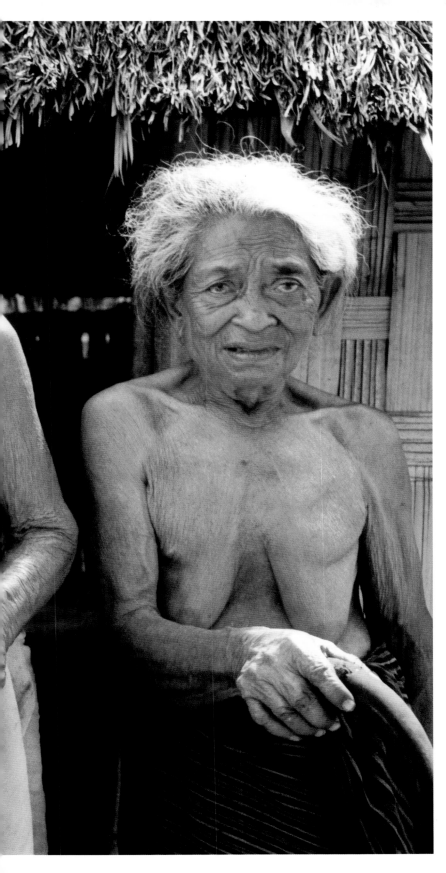

L'amour

n'est que la **découverte**

de soi-même dans l'autre,

et la joie de s'y reconnaître.

[ALEXANDER SMITH]

Nous avons tissé une toile dans l'enfance, une toile faite de rayons de soleil.

[CHARLOTTE BRONTË]

La route qui mène chez **un ami** n'est jamais longue.

[PROVERBE DANOIS]

© Paul Knight

© Noelle Tan

Le rire est meilleur que la **prière**

pour le salut de l'âme.

[HENRI GOUGAUD]

© Paz Errázuriz

Sans la **Communauté** des hommes, un être seul ne peut survivre.

[DALAI-LAMA]

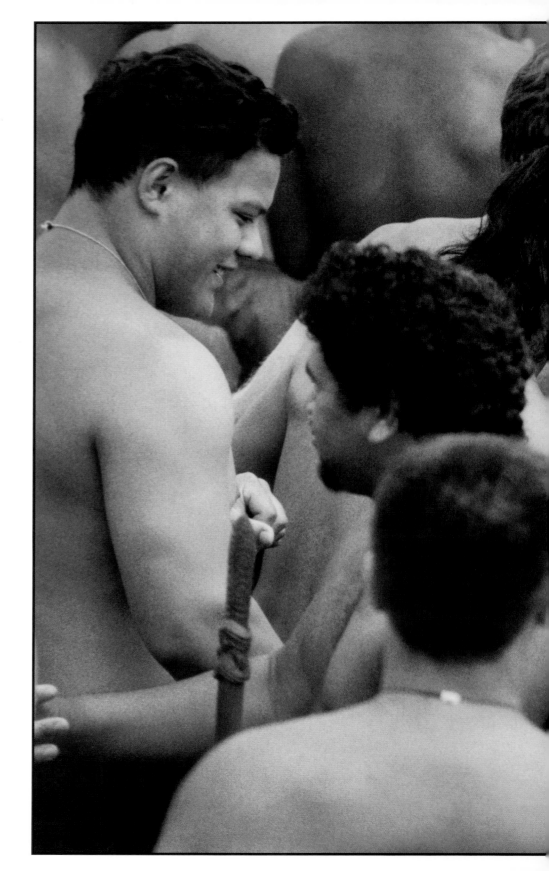

© Roy Hyrkin

Une amitié peut naître
sur la terre la plus aride
et la plus improbable.

[MAEVE BINCHY]

© Ann Versaen

Le courage de vivre offre souvent un spectacle moins extraordinaire que le courage du dernier instant.

Pourtant, quel **magnifique mélange** de triomphes et de tragédies.

[JOHN F. KENNEDY]

Une seule rose peut être mon jardin…
un seul ami, mon univers.

[LEO BUSCAGLIA]

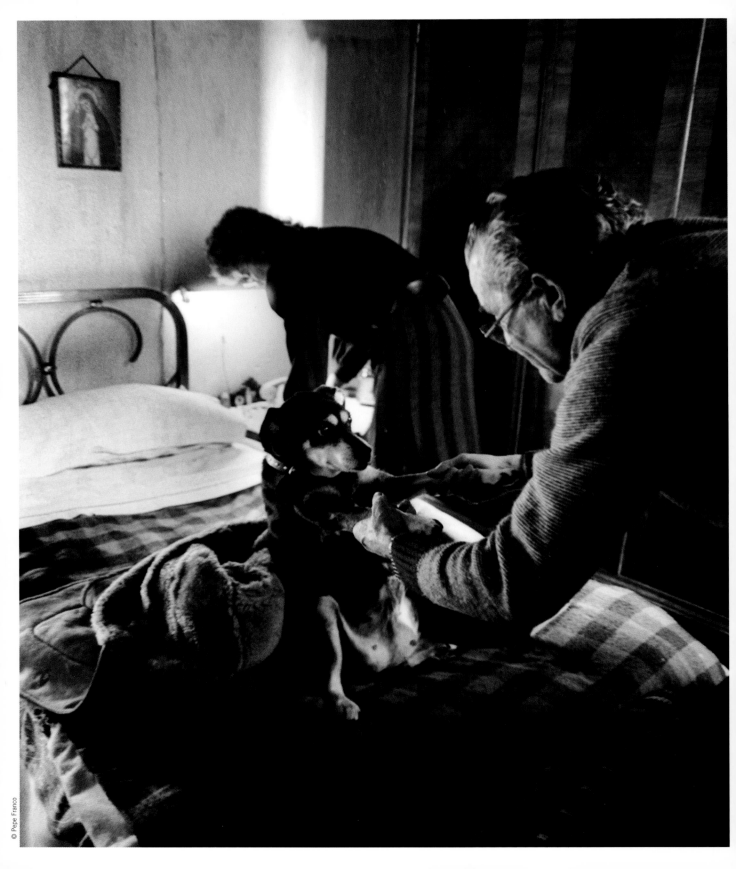

De bonnes paroles peuvent être brèves
et faciles à dire,
mais leur **écho** est véritablement éternel.

[MÈRE TERESA]

Le monde est une rose,
respire-la
et passe-la à ton ami.

[PROVERBE KURDE]

L'amitié fait le tour du monde
et nous convie tous à nous
réveiller
pour la vie heureuse.

[ÉPICURE]

© Peter Gabriel

Les vrais amis sont ceux qui lorsque vous faites le fou...

ne pensent pas que vous l'êtes en permanence.

[ERWIN T RANDALL]

© Robin Sparks Daugherty

© Lance Jones

© Jon Holloway

La joie n'est pas dans les choses, elle est en nous.

[RICHARD WAGNER]

© Marianna Cappelli

Tourne-toi vers le soleil,

l'ombre sera derrière toi.

[PROVERBE MAORI]

© Tetsuaki Oda

L'essentiel est invisible pour les yeux,
on ne voit bien qu'avec le cœur.

[ANTOINE DE SAINT-EXUPÉRY]

© David Tak-Wai Leung

Pour tomber, on se débrouille seul,
mais **pour se relever**
la main d'un ami est nécessaire.

[PROVERBE YIDDISH]

J'aurais souvent voulu éterniser sur la pellicule

cette chose merveilleuse et enrichissante qu'est l'amitié,

c'est donc une joie pour moi

de parcourir les images de ceux qui l'ont fait.

[MAEVE BINCHY]

Krassimir Andonov
Bulgarie

Krassimir Andonov est né en Bulgarie et a fait des études à l'Académie nationale de théâtre et de cinéma de Sofia. Il enseigne à présent la photographie à cette même Académie, et est membre de l'Union des cinéastes de Bulgarie. Krassimir a obtenu en 1995 le premier prix du concours de photos Déclic à Paris et en 1998 le premier prix du concours Coca-Cola en Bulgarie.

© 1997 Krassimir Andonov

Note d'humanité – une vieille femme protège un chien perdu du froid matinal tout en balayant un trottoir à Sofia.

Nikon EM, 100 mm, Kodak T-max/135, Exp. f4.5-1/60

Kostas Argyris
Grèce

Au cours de ses études à l'université Aristote de Thessalonique, Kostas Argyris s'est intéressé à la photographie et à la production télévisée. Il est photographe indépendant depuis 1986. Il a été cinq ans photographe résident de la république théocratique du Mont-Athos où il a assuré la charge de conservateur des archives. Kostas est membre fondateur de l'agence photo Phaos

© 1992 Kostas Argyris

Ce convive grec ne peut réprimer un bâillement après un repas de poisson, à Thessalonique.

Contax 167 MT, Kodak Tri-X/135, Exp. f5.6-1/60

Amit Bar
Pays Bas

Né dans un kibboutz d'Israël, Amit Bar a suivi des études d'art créatif à l'université d'Haifa. Il vit à présent aux Pays-Bas et est photographe indépendant.

© 1986 Amit Bar

Allon et Tom, 3 ans, ont trouvé sur ce confortable canapé l'endroit idéal pour rire et jouer ensemble. Les deux amis vivent au kibboutz de Kfar Hamaccabi.

Nikon FA, 35–70 mm, Ilford/135, Exp. non communiquée

Dharmesh Bhavsar
Canada

Dharmesh Bhavsar est photographe professionnel depuis plus de quinze ans. Originaire de l'Inde, il a récemment émigré au Canada et vit à présent dans l'Ontario. Il a participé à des expositions dans toute l'Inde et a remporté cinq prix internationaux de l'UNESCO, Asahi Shimbun et Canon. Il a également contribué à un livre sur les enfants des rues pour l'UNICEF.

© 1999 Dharmesh Bhavsar

Roue libre – une roue mène la course endiablée de trois copains dans une rue déserte de Baroda, en Inde.

Nikon F3 HP, 4/80–200 mm, Kodak/135, Exp. non communiquée

Felix Bialy
Argentine

Photographe autodidacte, Felix Bialy vit à Buenos Aires. Depuis 1991, il a remporté plus de quarante premiers et deuxièmes prix de concours internationaux. En 1996, il a obtenu le El Condor FAF, le prix le plus prestigieux décerné par la Fédération argentine de photographie et en 1997 le premier prix du concours Sigma en Espagne. En 1998, il est devenu artiste de la FIAP (Fédération internationale d'art photographique).

© 1982 Felix Bialy

Partage d'un coin de trottoir et d'une bouteille à Rio de Janeiro, au Brésil.

Nikon F3, 80–200 mm, Fuji/135, Exp. f5.6-1/60

Gay Block
États-Unis

La carrière photographique de Gay Block, qui a débuté en 1975, est marquée par une collaboration avec l'écrivain Malka Drucker. Intitulé *Rescuers – Portraits of Moral Courage in the Holocaust*, ce travail a abouti à la publication d'un livre et à l'organisation d'une exposition itinérante présentée dans plus de trente lieux à travers les États-Unis et le monde entier.

© 1984 Gay Block

Sous l'ardent soleil de Miami, en Floride, deux amies veillent à se protéger le nez durant la promenade qu'elles effectuent bras dessus bras dessous le long de South Beach.

Pentax 6 x 7, 90 mm, Kodak VPS/220, Exp. f8-1/60

Romano Cagnoni
Italie

L'Italien Romano Cagnoni a étudié le reportage photographique à Londres, en Angleterre, auprès du célèbre Simon Guttman. Premier photographe admis au Vietnam du Nord en 1965, il a couvert depuis de nombreux événements mondiaux pour divers magazines internationaux. Ses photos ont remporté de multiples prix, dont le USA Overseas Press Award. Dans son livre intitulé *Pictures on a Page*, Harold Evans, ancien rédacteur en chef du *Sunday Times* à Londres, le compte parmi les sept plus grands photographes du monde.

© 1985 Romano Cagnoni

Bonne humeur de deux adolescentes à bicyclette se rendant à la plage par la route de Pietrasanta.

Leica 2M, 50 mm, Kodak/135, Exp. f8-1/125

Marianna Cappelli
Italie

Marianna Cappelli est née à Naples, en Italie. Elle vit aujourd'hui à Novaro où elle s'attache à satisfaire son goût pour l'art et la photographie.

© 1996 Marianna Cappelli

Sur une plage de Sardaigne, la curiosité naturelle de la fille de la photographe, Martina, 4 ans, et de son amie Esther débouche sur de nouvelles découvertes.

Canon EOS 600, 35–70 mm, Ilford HP5 Plus/135, Exp. non communiquée

Lori Carr
États-Unis

Née aux États-Unis, Lori Carr a fait ses premières photos pour l'annuaire de son lycée. Après des études à l'université de Colombia à Chicago, elle s'est installée en Californie comme photographe indépendante. Elle vit actuellement à Los Angeles où elle réalise des portraits de célébrités pour l'industrie de la musique, du cinéma et de la télévision.

© 1991 Lori Carr

Peintures rituelles et imagination enfantine lient ces deux jeunes guerriers, Billy et Shaun, à San Rafael, en Californie.

Leica M4, 50 mm, Kodak Tri-X/135, Exp. non communiquée

Mara Catalán
États-Unis

Mara Catalán est née à Madrid. Aujourd'hui elle vit à New York, mais la photographie la mène aux quatre coins du monde. Elle a travaillé, entre autres, pour le magazine espagnol *El Europeo*, la revue chilienne *Cosas* et l'agence Magnum de New York. Mara a participé à de nombreux projets cinématographiques et travaillé comme archiviste dans un musée du Chiapas, au Mexique.

© 1998 Mara Catalán

En surplomb de la vallée de l'Annapurna, au Népal, trois enfants profitent des plaisirs simples que procure l'amitié. Perchées au-dessus d'un précipice, les deux fillettes ornent leur chevelure de fleurs fraîchement cueillies.

Nikon F, 28 mm, Kodak Tri-X 400/135, Exp. non communiquée

Michael Chiabaudo
États-Unis

Photographe à plein temps, Michael Chiabaudo est établi à New York mais voyage régulièrement pour son travail. Il prépare actuellement un volume rassemblant des photos qu'il a réalisées dans le monde entier.

© 1995 Michael Chiabaudo

Un jeune garçon tente de rester à la hauteur – son pantalon aussi – tandis que ses amis parcourent à grands pas la rue poussiéreuse d'un village près de Tijuana, au Mexique.

Nikon N90S, 28 mm, Kodak Tri-X/135, Exp. non communiquée

Claude Coirault
Tahiti

Claude Coirault est né en Guadeloupe. Il a étudié les mathématiques, la physique et les langues à l'université à Paris avant de concentrer son attention sur la photographie. Claude a travaillé comme photographe dans de nombreux pays différents et dans un large éventail de domaines. Actuellement, il est installé à Papeete, à Tahiti.

© 1975 Claude Coirault

Ce jeune garçon – le visage recouvert d'un remède local – oublie vite sa maladie en voyant ses amis arriver avec un nouveau jouet, une boîte en carton. Cette scène a été prise à Abidjan, en Côte d'Ivoire.

Canon F1, 200 mm, Kodachrome/135, Exp. f5.6-1/125

Alvein Damardanto
Indonésie

Né dans le sud de Sumatra, en Indonésie, Alvein Damardanto a fait des études de photo à Bali en 1999. Alvein réalise également des films documentaires.

© 1999 Alvein Damardanto

Après un match de football, deux jeunes joueurs assis à la fenêtre d'un vieux château de Yogyakarta revivent les phases du jeu.

Nikon EM2, 28 mm, Kodak/135, Exp. non communiquée

Robin Sparks Daugherty
États-Unis

Robin Sparks Daugherty a débuté dans la photo en 1978. Aujourd'hui journaliste spécialisée dans les voyages, elle fait des photos et rédige des articles pour le magazine on-line *EscapeArtist*. Ses travaux ont paru dans plus de cinquante publications et ses photos primées ont été exposées dans plusieurs galeries californiennes. On peut voir une exposition permanente de ses œuvres au centre médical de Carson Valley, au Nevada.

© 1994 Robin Sparks Daugherty

Baignade défi – pendant un été de sécheresse, trois copains du Nouveau-Mexique montrent qu'il est amusant de se baigner, même dans 5 cm d'eau.

Canon EOS 630, 20–35 mm, Kodak/135, Exp. f11-1/125

Reinhard David
Autriche

Né dans la capitale autrichienne, Reinhard David s'est intéressé à la photographie pendant ses études universitaires. Il est actuellement photographe indépendant et trouve essentiellement ses sujets au Moyen-Orient, en Afrique et en Asie du Sud-Est.

© 1999 Reinhard David

Le petit Jakob a fait une impression mémorable quand il a été présenté à son oncle lors d'une réunion de famille dans les environs de Vienne, en Autriche.

Contax G2, 90 mm, Kodak T-max/135, Exp. f2.8-1/60

Thierry Des Ouches
France

Photographe autodidacte en France, Thierry Des Ouches a constitué une collection très personnelle, notamment dans de nombreuses expositions, et des albums tels que *Requiem*, *Femmes* et *Vaches*. Il a récemment travaillé pour *France*, nouvelle publication, et certaines de ses œuvres doivent être exposées à la Bibliothèque nationale.

© 1997 Thierry Des Ouches

La belle vie – devant l'objectif de leur père, sur une plage de Noirmoutiers, Diane et Audrey, jeunes fanatiques du soleil, ne s'en font pas.

Canon EOS 1, 2.8/300 mm, Kodak/135, Exp. non communiquée

Duc Doan
Vietnam

Duc Doan est né à Cam Pha, au Vietnam, où il vit toujours. Il poursuit sa carrière de photographe depuis plus de vingt ans.

© 1993 Duc Doan

Adieux tendres entre une Vietnamienne de 88 ans et son amie d'enfance sur le point de quitter ce monde à l'âge de 92 ans. Cet instant a été saisi à Ha Long, dans la province vietnamienne de Quang Ninh.

Minolta Himatic 7S, 45 mm, Cbema Poto 64/135, Exp. f5.6-1/30

Shannon Eckstein
Canada

De nationalité canadienne, Shannon Eckstein a voyagé durant sept ans à travers le monde avant de retourner s'installer à Vancouver. En 1998, elle a fondé Silvershadow Photographic Images, une société spécialisée dans la photographie noir et blanc créative qui répond à demande d'un large éventail de clients.

© 1998 Shannon Eckstein

À Chilliwack, en Colombie-Britannique – dès qu'il a cessé de pleuvoir, Kiana, 18 mois entreprend d'explorer une nouvelle flaque avec Tasia et Belle, ses amies à quatre pattes.

Nikon F90X, 70–200 mm, Kodak Tri-X 400/135, Exp. f5.6/8-1/200

Paz Errázuriz
Chili

Paz Errázuriz est photographe autodidacte à Santiago du Chili. Après des études de pédagogie à l'Université catholique de Santiago, elle est devenue institutrice, puis a abandonné l'enseignement et travaillé comme photographe indépendante pour des magazines et pour la Fondation Andes. Elle a obtenu une bourse Guggenheim en 1987 et a publié deux volumes.

© 1991 Paz Errázuriz

Devant le marché de Santiago, au Chili, trois jeunes vendeurs de cigarettes trouvent que de vieux cageots font des sièges idéaux pour une réunion entre copains.

Nikon F2, 80 mm, Kodak Tri-X/135, Exp. f8-1/60

Katherine Fletcher
États-Unis

Titulaire d'un diplôme d'art, catégorie photographie, Katherine Fletcher dirige sa propre entreprise à Omaha, dans le Nebraska. Unforgettable Images est une agence dans le reportage photo de mariage pour la presse.

© 1999 Katherine Fletcher

Bonheur conjugal à Omaha, dans le Nebraska – avant la réception de mariage, l'atmosphère se détend pour Stephanie, la mariée, et ses amies.

Canon A2, 28–70 mm, Kodak/135, Exp. f8-1/90

William Foley
États-Unis

Après ses études à l'université d'Indianapolis, aux États-Unis, le reporter William Foley a travaillé pour l'Associated Press et le magazine *Time* au Caire, en Égypte et à Beyrouth, au Liban. Le prix Pulitzer lui a été décerné en 1983 pour une série de photos prises à Beyrouth et son travail a régulièrement paru dans les plus grandes publications du monde entier. Après avoir travaillé dans quarante-huit pays différents, William s'est installé à New York où il est photographe indépendant.

© 1993 William Foley

Le ciel est la seule limite pour ces deux fillettes de Beyrouth, au Liban. Leur terrain de jeux est un ancien stade dans lequel se sont installés des centaines de réfugiés à la suite de l'invasion israélienne en 1982.

Canon T90, 35 mm, Fuji/135, Exp. f5.6-1/250

Pepe Franco
États-Unis

Pepe Franco a fait des études supérieures de sociologie. Il a travaillé comme maçon pour acheter son premier appareil photo, et la photographie l'a passionné au point d'en faire son métier. Photographe de presse depuis 1984, il travaille en Espagne, mais a aussi au Mexique et aux États-Unis.

© 1987 Pepe Franco

Fidèle compagnon – à Madrid, un vieil homme chante pour son chien pendant que l'aide ménagère vaque tranquillement à ses occupations.

Canon F1, 28 mm, Kodak/135, Exp. non communiquée

Bill Frantz
États-Unis

Après ses études à l'Institut d'arts de Chicago, Bill Frantz a été sept ans photographe associé et directeur de studio auprès de *Playboy*. Il s'est ensuite installé dans le Wisconsin comme photographe indépendant. Il travaille actuellement pour l'industrie mais réalise aussi des photos de mariage et des photos commerciales.

© 1981 Bill Frantz

Musique pour les oreilles – Dans le Wisconsin, Sara, 2 ans, saxophoniste en herbe, joue pour sa petite sœur Leslie.

Bronica ETRS, 2.8/75 mm, Kodak Vericolor/120, Exp. non communiquée

Peter Gabriel
États-Unis

Né en Corée du Sud, Peter Gabriel s'est installé en Autriche avec sa famille. Il a fait des études de médecine à Vienne, puis est parti pour les États-Unis, où il a découvert la photographie. Il est actuellement photographe à New York.

© 1999 Peter Gabriel

Dans un café new-yorkais, ces trois filles soucieuses de mode ont découvert un accessoire parfait.

Contax T2, 38 mm, Ilford Delta 400/135, Exp. f4-1/15

David M. Grossman
États-Unis

David M. Grossman travaille et vit à New York. Photographe indépendant spécialisé dans les portraits, il répond à des commandes provenant d'horizons aussi variés que la presse, la publicité et le monde de la santé. Son travail est représenté dans des collections publiques et privées.

© 1998 David M Grossman

Frère et sœur – Ethan, 6 ans, embrasse avec enthousiasme Emory, 4 ans, lors d'une fête d'anniversaire donnée dans le quartier new-yorkais de Brooklyn.

Canon T90, 28 mm, Kodak Tri-X/135, Exp. N/A

Mikolaj Grynberg
Pologne

Psychologue scolaire de formation, Mikolaj Geynberg est devenu photographe professionnel en 1990. Il est actuellement spécialisé dans la photo publicitaire à Varsovie. Il a obtenu le premier prix du concours de la presse polonaise en 1993, ainsi que le premier et le deuxième prix du concours Ilford en 1995.

© 1999 Mikolaj Grynberg

Mme Falk fête son 90e anniversaire à Varsovie, occasion idéale pour prendre le thé avec ses amies de longue date, Mme Malik, 89 ans, et Mme Krauze, 80 ans.

Leica M6, 21 mm, Ilford HP5/135, Exp. f2.8-1/30

Mark Edward Harris
États-Unis

Titulaire d'une maîtrise d'art de l'université d'État de Californie, Mark Edward Harris vit à Los Angeles où il est photographe, écrivain et enseignant. Ses travaux, qui lui ont valu de nombreuses récompenses, ont paru dans des publications comme *Time, Life, Vogue* et *People*. Ses ouvrages intitulés *Faces of the Twentieth Century* (Visages du vingtième siècle) et *Master Photographers and Their Work* (Maîtres de la photographie et leurs œuvres) ont été désignés Livres photographiques de l'année au Salon du livre de New York en 1999.

© 1999 Mark Edward Harris

Un groupe d'amis effectue une descente « en carton » mouvementée sur une colline de Memphis, dans le Tennessee.

Nikon N90S, 35 mm, Kodak Tri-X/135, Exp. f4-1/60

Gail Harvey
Canada

Gail Harvey, de Toronto, est l'une des premières femmes engagées comme photographe par United Press dans les années 1970. Après avoir réalisé un ouvrage salué par la critique sur Terry Fox, l'athlète unijambiste qui a traversé le Canada, elle a travaillé en indépendante pour divers magazines canadiens et internationaux. En même temps, elle poursuit ses projets personnels et a exposé dans une dizaine de galeries.

© 1979 Gail Harvey

Cercle d'amis – par une journée froide sur la plage de Brighton, station de la côte sud de l'Angleterre, un groupe de retraités recherche la chaleur dans la compagnie.

Canon A1, 85 mm, Kodak Tri-X/135, Exp. f5.6-1/250

K. Hatt
États-Unis

Natif de London, au Canada, K. Hatt a commencé à s'intéresser à la photographie au lycée. Il s'est installé à New York, aux États-Unis, et a travaillé comme assistant pour un certain nombre de photographes de mode avant de se lancer lui-même dans la photographie de mode et le portrait.

© 1993 K. Hatt

Chute libre – quatre amies en bikini sautent d'un ponton, à Miami, en Floride.

Fuji 645S, 75 mm, Kodak Tri-X/120, Exp. f8-1/250

Linda Heim
États-Unis

Linda Heim vit à Delmar, à Albany, dans l'État de New York. Elle est professeur d'éducation physique et photographe amateur se consacrant à un large éventail de sujets.

© 1999 Linda Heim

Dégustation à Averill Park, dans l'État de New York – Abigail, 5 ans, veut savoir si la sucette de Samantha a le même goût que la sienne.

Canon T90, 28–200 mm, Kodak/135, non communiquée

Doreen Hemp
Afrique du Sud

Doreen Hemp est photographe en Afrique du Sud. Titulaire d'une maîtrise de beaux-arts, elle intègre souvent la photographie à ses œuvres. Ses photos ont paru dans nombre de publications sud-africaines.

© 1993 Doreen Hemp

Deux enfants nebedele portant le pagne brodé et le collier de perles traditionnels de leur tribus, jouent devant leur maison à Kwandabele, en Afrique du Sud.

Pentax K1000, 50 mm, Fujichrome/135, Exp. f5.6-1/60

Andreas Heumann
Royaume-Uni

D'origine allemande, Andreas Heumann a fait ses études en Suisse. Ses photos font partie des collections du Victoria and Albert Museum à Londres, du musée Kodak de la Photographie de Rochester, aux États-Unis, et de nombreuses collections privées. Elles ont été couronnées de multiples récompenses, dont le prix Agfa en 1994, le prix d'excellence de Communications Arts en 1994 et six grands prix de l'Association des photographes du Royaume-Uni.

© 1972 Andreas Heumann

Un petit coin de parapluie – Trois jeunes amis s'abritent en attendant patiemment le début d'un concert rock organisé en plein air, à Londres.

Leica M4, 35 mm, Kodak/135, Exp. non communiquée

Philip Hight
États-Unis

Né au Tennessee, Philip Hight est diplômé de l'université de cet État. Il est aussi photographe à Nashville.

© 1992 Philip Hight

Passe-moi la glace ! – à Nashville, Precious et Alex jouent avec des cubes de glace, moyen idéal de garder la tête froide par une chaude journée d'été.

Pentax SF1, 35–70 mm, Kodak T-max/135,

Exp. non communiquée

Jon Holloway
États-Unis

Titulaire d'une maîtrise de beaux-arts, Jon Holloway est photographe professionnel en Caroline du Sud. Ses travaux ont été présentés dans une trentaine d'expositions individuelles et il a obtenu de nombreuses récompenses, notamment les prix de *Nature* et du *National Geographic*.

© 1998 Jon Holloway

Le passé et l'avenir – devant le décor historique du Taj Mahal, ces petits Indiens font de nouveaux jouets avec de vieux pneus.

Pentax 67, 55 mm, Ilford FP4/120, Exp. non communiquée

John A. Hryniuk
Canada

John A. Hryniuk a débuté comme photographe indépendant pour l'Agence Reuters et le quotidien *Toronto Star*. Il est actuellement portraitiste à Toronto, et ses travaux ont paru dans diverses publications, dont *Stern*, le *New York Times* et le *Reader's Digest*.

© 1998 John A. Hryniuk

Cet ancien combattant canadien partage un moment de réflexion avec un ami proche, près d'Ottawa. Son logis est un ancien car scolaire qu'il partage avec quinze chiens pleins de vie.

Hasselblad 500, 4/80 mm, 120, Exp. f4-1/15

Faisal M. D. Nurul Huda
Bangladesh

Faisal M. D. Nurul Huda est agent administratif à l'Unité pour la sécurité alimentaire de la Commission européenne au Bangladesh. Diplômé de langue anglaise, il s'adonne avec enthousiasme à la photographie amateur depuis 1991.

© 1998 Faisal M. D. Nurul Huda

Pour fêter leurs retrouvailles après six ans de séparation, ces cousines de la tribu des Marma au Bangladesh fument des cigares roulés à la main. La plus jeune des femmes les a confectionnés spécialement pour l'occasion, pour partager un gage traditionnel d'amitié et d'amour.

Nikon F3, 105 mm, Fuji Neopan SS/135, Exp. f5.6-1/125

Roy Hyrkin
États-Unis

Après avoir été photographe pour l'université d'État de New York à Middleton, Roy Hyrkin travaille actuellement comme photographe d'art. Ses meilleurs clichés se trouvent au musée George Eastman à Rochester, dans l'État de New York, et à la bibliothèque de la ville de New York, ainsi que dans des collections privées à travers les États-Unis.

© 1999 Roy Hyrkin

Des amis se rencontrent dans une rue new-yorkaise.

Canon EOS 1N, 28–105 mm, Kodak T-max 400/135, Exp. f6.3-1/125

Davy Jones
Royaume-Uni

Né à Liverpool, Davy Jones a fait des études de sciences politiques, de russe et d'histoire de l'Union soviétique à l'université de cette ville. Il s'est établi à Londres où il a travaillé quatre ans comme photographe assistant et est à présent photographe professionnel spécialisé dans le reportage.

© 1997 Davy Jones

Deux amis en kilt devant la foule de la Gay Pride de Londres.

Rolleiflex T, 80 mm, Ilford HP5/120, Exp. non communiquée

Lance Jones
États-Unis

Né à Séoul, en Corée, Lance Jones est titulaire d'un diplôme supérieur d'art et de photographie de l'Erham College à Richmond, aux États-Unis. Il travaille actuellement comme photographe indépendant à West Rutland, en Virginie.

© 1997 Lance Jones

L'amitié, c'est jouer dans le même camp – équipe de jeunes footballeurs de Belfast, en Irlande du Nord.

Canon EOS, 35–80 mm, Kodak TMY/135, Exp. non communiquée

Damrong Juntawonsup
Thaïlande

Damrong Juntawonsup a obtenu un diplôme d'enseignant à l'université de Ramkumheang. Il est aujourd'hui directeur d'une agence de photos et photographe indépendant à Bangkok.

© 1999 Damrong Juntawonsup

Vive le héros ! – Dans un village de la province de Chiangrai, en Thaïlande, des enfants acclament le vainqueur d'une course à son retour au pays.

Canon EOS 1N, 70–100 mm, Fuji Velvia/135, Exp. f5.6-1/125

Pat Justis
États-Unis

Pat Justis est photographe professionnelle et écrivain à Olympia, dans l'État de Washington. Ses travaux ont été présentés dans diverses publications, notamment *Shots*, *Hope* et le *Sun*, ainsi qu'à l'Exposition internationale de photographie du Nord-Ouest et dans plusieurs expositions individuelles.

© 1999 Pat Justis

Une route de campagne à Olympia devient chemin d'aventure pour Keegan, 6 ans, et Graeme, 7 ans.

Pentax P30T, 90 mm, Ilford Delta 400/135, Exp. non communiquée

Sombut Ketkeaw
Thaïlande

Sombut Ketkeaw est un photographe professionnel installé à Phanatnikhom Chonburi, en Thaïlande. Il dirige un studio spécialisé dans les mariages, les portraits et les photos de famille et travaille également pour des banques d'images. Sombut a participé à plusieurs expositions organisées dans son pays natal.

© 1999 Sombut Ketkeaw

Oncle Yoo, 67 ans, et Oncle Song, 72 ans, se détendent autour d'un pot de *uh* – boisson alcoolisée traditionnelle – après une longue journée de travail dans les environs de Nakornpanom, en Thaïlande.

Canon EOS 1N, 70–200 mm, Fuji Velvia/135, Exp. f5.6

Thomas Patrick Kiernan
Irlande

L'Irlandais Thomas Patrick Kiernan s'est intéressé à la photographie après avoir visité des expositions de Cartier-Bresson et de Kertész à New York. Entre deux boulots d'été, Thomas s'adonne à sa passion pour la photographie en Inde et en Égypte.

© 1996 Thomas Patrick Kiernan

Gracieuses malgré leur lourde charge – deux Indiennes marchent côte à côte pour aller vendre leurs légumes au marché de Calcutta.

Olympus OM 1N, 1.8/50 mm, Kodak Tri-X 400/135, Exp. f11/16-1/250

Paul Knight
Nouvelle-Zélande

Paul Knight enseigne le japonais à l'université Massey de Palmerston North, en Nouvelle-Zélande. Passionné de photo, il s'est rendu au Japon grâce à une bourse de l'UNESCO en 1960. Ce voyage a suscité chez lui l'envie de fixer la culture japonaise sur la pellicule. Par la suite, il y a effectué un séjour de cinq ans. Ses photos ont ultérieurement fait l'objet de plusieurs expositions et d'une tournée nationale.

© 1967 Paul Knight

Dans la petite bourgade animée de Wajima, au Japon, une habitante s'empresse de communiquer les dernières nouvelles à son amie.

Asahi Pentax, 105 mm, Kodak Tri-X/135, Exp. N/A

Viktor Kolar
République tchèque

Photographe depuis 1984, Viktor Kolar a remporté le prix international Mother Jones en 1991. Depuis 1994, il donne des cours de photo documentaire à l'académie des arts du spectacle FAMU d'Ostrava, en République tchèque.

© 1992 Viktor Kolar

Ces fidèles, âgées de plus de 70 ans, vont à la messe à Karvina. L'église de leur paroisse, où elles vont depuis plus de quarante ans, s'est enfoncée à 27 mètres sous terre en raison de la longue exploitation minière de leur ville. Elles font toujours une halte pour prier au pied de cette croix érigée en 1989 après la Révolution de Velours.

Leica M4, f35, Kodak Tri-X/135, Exp. f11-1/250

Yorghos Kontaxis
États-Unis

Yorghos Kontaxis est diplômé en beaux-arts de l'École d'arts visuels de New York. Comédien pendant treize ans en Grèce, il a également poursuivi aux États-Unis une carrière photographique variée, où ses travaux ont été présentés lors de nombreuses expositions individuelles et collectives. Lauréat du prix d'excellence de *Newsweek*, il a également obtenu le prix de mérite du magazine *Time/Life* et le prix de réalisation artistique du Rotary Club International de Syros.

© Yorghos Kontaxis [Date N/A]

Coney Island, à New York – six amies ont pris le sable de la plage comme piste de danse, pour le plus grand plaisir des assistants.

Nikon FM2, Nikkor 24 mm, Kodak Tri-X/135, Exp. f8-1/125

Vladimir Kryukov
Russie

Né à Moscou, Vladimir Kryukov a fait des études de journalisme à l'université d'État de cette ville. Il a ensuite été photographe au magazine *Soviet Union* pendant sept ans avant de fonder une entreprise en 1990. Vladimir a remporté le grand prix de la Lentille d'or en Belgique en 1989 et tenu deux expositions individuelles à Moscou. Il a créé « Photodome », le site web de la photographie professionnelle de Russie.

© 1998 Vladimir Kryukov

Après avoir nagé dans les eaux glacées de Moscou, ce couple de Russes se fait remarquer par des manifestations d'affection.

Nikon FM2, 2.8/300 mm, 135, Exp. f5.6-1/250

Martin Langer
Allemagne

Né à Göttingen, Martin Langer vit à présent à Hambourg. Il a fait des études de journalisme et de photographie de presse à Bielefeld et travaille actuellement en indépendant pour des journaux et des maisons d'édition.

© 1995 Martin Langer

L'équipe de football de Marienborn vient de marquer un but, et ses supporters s'unissent dans la joie et le soulagement.

Nikon F2A, 85 mm, Kodak/135, Exp. f4-1/90

David Tak-Wai Leung
Canada

David Tak-Wai Leung est passionné de photographie depuis plus de trente ans. Son intérêt pour la nature et les vestiges des cultures anciennes l'a mené à travers le monde, notamment au Tibet, en Chine, en Amérique centrale et en Micronésie.

© 1999 David Tak-Wai Leung

Deux petits Mayas partagent rires et câlins à Panajachel, au Guatemala.

Canon Elan IIe, 75–300 mm, 135, Exp. f5.6-1/60

Thanh Long
Vietnam

Thanh Long a développé sa première pellicule il y a plus de trente-cinq ans. Toujours photographe professionnel à Nha Trang, au Vietnam, il a remporté la médaille d'or au Salon international de la photographie Asahi Shimbun, au Japon, en 1988, 1995, 1997 et 1999. Son travail a fait l'objet d'expositions à travers l'Europe, l'Asie et l'Amérique du Nord.

© 1995 Thanh Long

Visages de six jeunes amis durant la récréation à Phan Rang, au Vietnam.

Nikon F2, 28 mm, 135, Exp. f5.6-1/30

Tim Lynch
États-Unis

Photographe depuis plus de vingt ans, Tim Lynch a travaillé dans 27 pays ainsi que dans la plupart des États d'Amérique du Nord. Il se considère comme photographe généraliste et travaille aussi bien en studio qu'en extérieur. Il s'occupe actuellement de photo numérique pour des sociétés du Net.

© 1998 Tim Lynch

Les meilleurs amis – Leon et son père, Johnny, éboueurs, à Jasper dans le Nebraska, font une pause au cours de leur tournée de ramassage.

Nikon F3, 24 mm, Kodachrome/135,
Exp. non communiquée

Simon Lynn
Nouvelle-Zélande

Né en Nouvelle-Zélande, Simon Lynn est titulaire de diplômes d'anthropologie et de médecine orientale. Il a aussi entrepris des études de photographie, mais a préféré devenir assistant pour acquérir de l'expérience. Il a travaillé dans la photo corporative, la mode et l'édition, et est actuellement photographe international.

© Simon Lynn [date N/A]

Sur la rive du lac Rotorua, en Nouvelle-Zélande, deux frères maori s'adressent un « hongi », échange de souffles en guise de salut. Entourés des membres d'une famille étendue, ils viennent de regagner la rive après une course en canoë, festivité du jour de Waitangi, la fête nationale de Nouvelle-Zélande.

Canon EOS 5, 200 mm, Kodak T-max/135, Exp. f5.6-1/125

Nathan Machain
États-Unis

Établi dans le sud de la Californie, Nathan Machain est photographe depuis trois ans, avec un intérêt particulier pour le documentaire et la photo de presse. Il travaille en indépendant pour le *Sun*, journal régional du comté de San Bernardino.

© 1999 Nathan Machain

Là où il y a un cœur, on a un chez-soi – dans une rue de San Bernardino, en Californie, deux sans-abri s'embrassent affectueusement.

Canon A2, 28–105 mm, Kodak Tri-X/135, Exp. f9.5-1/250

Francesca Mancini
Italie

L'Italienne Francesca Mancini a suivi des études universitaires de psychologie dans sa ville natale de Rome. Récemment, elle a décidé d'entamer une carrière de photographe en se penchant plus particulièrement sur le sort des réfugiés du Kosovo en Italie. Elle travaille désormais comme reporter et photographe indépendant pour diverses agences de presse de Rome.

© 1999 Francesca Mancini

Unies par le chagrin – dans un moment de solidarité, une jeune femme du Kosovo réconforte son amie dont le mari a été tué par une mine.

Nikon F100, 35 mm, Kodak Tri-X/135, Exp. non communiquée

Jinjun Mao
Chine

Ayant étudié la photographie durant sa formation militaire en Chine, Jinjun Mao est devenu reporter pour la revue de l'armée *Renmin Qianxian*. À son retour à la vie civile, il est devenu photographe professionnel et membre de l'Association des photographes chinois. Il a collaboré à de nombreuses publications et participé à des expositions nationales et internationales. Actuellement, Jinjun travaille au studio de photographie Ah Mao à Songjiang, dans son pays natal.

© 1998 Jinjun Mao

Dans le village chinois de Shuinan, un visiteur de 5 ans amuse la galerie pour le plus grand plaisir de son grand-père et des amis de celui-ci.

Canon AE1, 50 mm, Konika/135, Exp. f5.6-1/125

José Martí
Cuba

Né à La Havane, José Marti est photographe professionnel depuis plus de trente ans, lauréat de nombreux prix. Ses travaux ont été présentés dans des expositions et des galeries ou des collections privées, notamment à Cuba, en Allemagne, en Espagne et en Italie.

© 1999 José Martí

Au cours de retrouvailles émues, Estevan Cortiza Rabina, 91 ans, embrasse Juan, son frère âgé de 77 ans. Ayant vécu de longues années en Espagne, celui-ci est revenu prendre sa retraite dans son Cuba natal. Les deux frères ne s'étaient pas vus depuis quarante ans.

Nikon F3, 28 mm, Agfa APX 100/135, Exp. f8-1/30

Darien Mejía-Olivares
États-Unis

Originaire du Mexique, Darien Mejía-Olivares a fait des études supérieures de journalisme et de photographie. En 1996, elle s'est établie à New York où elle a conforté sa passion pour la photographie en suivant des cours à l'université et à l'école d'arts visuels. Darien a été finaliste au concours du magazine *Forum*.

© 1998 Darien Mejía-Olivares

Un couple de danseurs – à New York, Harry et Margaret, 2 ans, ne peuvent s'empêcher de s'embrasser sur la piste de danse.

Minolta Maxxum 7000 AF, 50 mm, Kodak T-max 400/135, Exp. non communiquée

Bernard Mendoza
États-Unis

Bernard Mendoza a débuté dans les années 1960 et ses studios de Londres, d'Amsterdam et de Houston ont vu défiler de nombreuses prsonnalités. Il a exposé dans les Galeries nationales de portraits d'Angleterre et d'Écosse, à la Royal Photographic Society, au musée d'Art moderne de Houston et au musée d'Art de Denver. Certaines de ses photos figurent dans la collection on-line de la Smithsonian Institution.

© 1999 Bernard Mendoza

Deux inséparables sœurs ukrainiennes, photographiées lors d'une visite à Cleveland, Ohio.

Nikon, 80 mm, Kodak Tri-X/135, Exp. f11-1/125

Rinaldo Morelli
Brésil

Rinaldo Morelli est photographe depuis plus de quinze ans. Vivant au Brésil, il a tenu trois expositions individuelles et poursuit actuellement des études à l'université de Brasilia. Rinaldo est membre fondateur du groupe de photographes « Ladrões de Alma » (Voleurs d'âme).

© 1995 Rinaldo Morelli

Moi et mon ombre – en visitant le zoo, deux petits Brésiliens, Pietro, 4 ans, et Yuri, 5 ans, ont eu l'idée de créer d'étranges animaux fantastiques.

Nikon F3, 24 mm, Ilford/135, Exp. f11-1/60

P. Kevin Morley
États-Unis

P. Kevin Morley est titulaire d'un diplôme de journalisme de l'université de Missouri-Colombia. Depuis 1984, il est photographe du *Richmond Times-Dispatch* en Virginie. Il est également formateur en photojournalisme à l'université de Richmond.

© 1987 P. Kevin Morley

Une note de gentillesse – à un arrêt de bus de Richmond, une personne âgée tend le bras vers Jeffrey, bébé de 15 mois.

Nikon F3, 2.8/300 mm, Kodak Ektachrome/135, Exp. non communiquée

Aris Munandar
Indonésie

Aris Munandar vit en Indonésie. Son intérêt pour la photographie s'est éveillé à la vue des reportages consacrés à son pays natal publiés dans des revues nationales. Il a acheté son premier appareil durant ses études et consacre aujourd'hui la majeure partie de ses loisirs à la photographie.

© 1995 Aris Munandar

Malgré l'animation de la ville indonésienne de Wamena, deux hommes de la tribu des Dani prennent le temps de faire une pause. Vêtus de leurs costumes traditionnels et armés de haches et de lances artisanales, ils sont venus à Wamena pour leurs affaires et pour rencontrer des gens.

Nikon F90, f5.6, Fuji/135, Exp. 1/60

Jana Noseková
République tchèque

Jana Noseková a suivi une formation à l'école de photographie de Bratislava, en Slovaquie, et après avoir obtenu son diplôme elle a été engagée à CTK, l'agence de presse tchécoslovaque. Elle vit actuellement à Prague et travaille comme photographe d'informations au grand journal tchèque *DNES*. En 1977, Jana a remporté un prix au concours national de photo de presse.

© 1998 Jana Noseková

Jeux et rires dans l'eau pour ce groupe de baigneurs à Constanza, en Roumanie.

Nikon F5, 2.8/35–70 mm, Fuji 400/135, Exp. f11-1/125

Tetsuaki Oda
Japan

Diplômé de l'université Jiyu Gakuen de Tokyo en 1967, Tetsuaki Oda a débuté comme photographe dans l'entreprise de son père avant de monter son propre magasin. En 1995, celui-ci a été détruit par le tremblement de terre de la ville de Kobe et Tetsuaki travaille à présent comme photographe indépendant.

© 1995 Tetsuaki Oda

Distraction en plein air – deux enfants s'amusent pendant l'entracte d'un concert en plein air à Linköping, en Suède.

Leica M6, 1.4/35 mm, Kodak TMY/135, Exp. f8-1/500

Dilip Padhi
Inde

Dilip Padhi, de l'État d'Orissa, en Inde, est photographe amateur passionné depuis 1980. Il est licencié de la Royal Photographic Society of America. Dilip s'intéresse particulièrement à la nature, aux paysages et aux portraits, et ses travaux ont été présentés dans un grand nombre de galeries nationales et internationales.

© 1999 Dilip Padhi

Dans un petit village près de Sambalpur, en Inde, deux petites camarades partagent un moment de réflexion.

Nikon F801S, Nikkor 70–210 mm, Kodak/135, Exp. f8-1/125

Amelia Panico
États-Unis

Amelia Panico a obtenu un diplôme d'art, spécialité photo, à l'institut Pratt de New York. Elle est aujourd'hui photographe médicale et travaille en indépendante en studio et en extérieurs. Elle a exposé aux États-Unis, en France et en Australie, et ses travaux dans le domaine médical ont paru dans d'importantes revues internationales.

© 1996 Amelia Panico

À New York, moment d'affection et de compassion entre une jeune infirmière et Carolina, sa patiente âgée de 97 ans.

Hasselblad 500C, 120 mm, Kodak Tri-X/120, Exp. f8-1/60

Aris Pavlos
Grèce

Né en Grèce, Aris Pavlos a fait des études de photographie à l'École supérieure de technique d'Athènes. Il a enseigné à des groupes d'amateurs et dans un centre de réadaptation, et se consacre actuellement à la photographie documentaire.

© 1998 Aris Pavlos

La sagesse du grand âge – il ne fait pas chaud dans le café de Gravena, en Grèce, où deux amis, Blionas, 92 ans, et Tsigaras, 90 ans, sont en grande conversation, aussi ont-ils gardé leurs manteaux.

Nikon F3, 135 mm, Ilford HP5/135, Exp. f25

Cristina Piza
Allemagne

Originaire du Costa Rica, Cristina Piza a travaillé quelque temps au Royaume-Uni et à Berlin. Ses travaux les plus récents, qui traitent essentiellement de Cuba et de sa population, ont fait l'objet de nombreuses expositions et lui ont valu quantités de commandes et de récompenses.

© 1998 Cristina Piza

Les vieux amis musiciens Ruben et Ibrahim fêtent la sortie de leur nouveau CD dans un café madrilène, en Espagne.

Hasselblad 500C, 80 mm, Kodak/120, Exp. non communiquée

Bernard Poh Lye Kiat
Singapour

Bernard Poh Lye Kiat est un photographe chinois qui vit à Singapour. Son diplôme de la SAFRA et un prix de meilleur étudiant en poche, il a ouvert une boutique de photo. Bernard a remporté plus de vingt premiers prix lors de divers concours, notamment au concours « Détente à Singapour » organisé par le *Straits Times*, au concours de photos de mannequin du salon de 1992 organisé par Nikon et au concours Canon Members.

© 1998 Bernard Poh Lye Kiat

Noël à Singapour – tandis que le photographe décore sa vitrine pour les fêtes, les enfants malicieux de son entourage font tout ce qu'ils peuvent pour le distraire.

Nikon F90X, 35–90 mm, Fuji/135, Exp. f11-1/30

Ted Polumbaum
États Unis [1924–2001]

Titulaire d'un diplôme universitaire d'histoire, Ted Polumbaum a été journaliste dans un quotidien et à la télévision avant d'entamer une carrière de photographe. Il a alors travaillé pour diverses sociétés et publications, notamment *Life*. Il a également publié des livres de photos, dont *Today is Not Like Yesterday : A Chilean Journey* (Aujourd'hui n'est pas comme hier : voyage au Chili), ouvrage hautement apprécié retraçant ses expériences au Chili.

© 1965 Ted Polumbaum

Les membres du « club de l'Ours polaire » ne sont pas gênés par le froid en prenant le soleil ce jour d'hiver à Coney Island, New York. Les spectateurs n'ont pas les mêmes libertés vestimentaires.

Leica M3, 35 mm, Kodachrome/135, Exp. non communiquée

Romualdas Požerskis
Lituanie

Après des études d'ingénieur en électricité à l'institut polytechnique de Kaunas, en Lituanie, Romualdas Požerskis a travaillé à la Société lituanienne d'Art Photographique. Photographe indépendant depuis 1980, il enseigne l'histoire et l'esthétique de la photographie à l'université. En 1991, son pays lui a décerné un prix pour son œuvre culturelle. Depuis 1994, il adhère à la FIAP (Fédération internationale de l'art photographique).

© 1981 Romualdas Požerskis

Salut débordant d'enthousiasme pour cette Lituanienne dans les rues de la vielle cité de Kaunas.

Minolta xD-11, 24 mm, Svema 400/135, Exp. f8-1/250

Surendra Pradhan
Inde

Professeur de lycée en Inde, Surendra Pradhan s'intéresse à la photographie depuis 1972. Il fait partie de la Société royale de photographie d'Angleterre depuis 1984 et de la FIAP (Fédération internationale de l'art photographique) depuis 1995. Ses photos ont été présentées dans de nombreuses galeries nationales et internationales.

© 1984 Surendra Pradhan

Dans les rizières indiennes, le rire et l'amitié illuminent les visages de deux jeunes ouvrières.

Pentax Spotomatic II, 135 mm, Ilford/135, Exp. f8-1/125

Greta Pratt
États-Unis

Greta Pratt a débuté en photographiant des foires régionales à travers les États américains du Middle West – photos rassemblées par la suite dans un livre. Ses travaux ont paru dans divers magazines dont le *New York Times*, le *New Yorker* et *Harpers*. Elle est représentée dans les collections permanentes du musée national d'Art américain, de la Smithsonian Institution, du musée des Beaux-Arts de Houston et de l'institut d'art de Minneapolis.

© 1999 Greta Pratt

L'été dans le New Jersey – les grands copains Axel et Colby se reposent en mangeant une glace entre deux baignades.

Fuji 645, 60 mm, Kodak T-max/120, Exp. f5.6-1/60

Jennifer Prunty
États-Unis

Jennifer Prunty a commencé sa carrière de photographe dans un journal universitaire, puis elle est devenue responsable photographique de l'annuaire de sa faculté et, ses études terminées, s'est lancée comme photographe indépendante. Elle a repris ses études en 1995 pour préparer une maîtrise en photojournalisme documentaire.

© 1997 Jennifer Prunty

Une épaule amicale – perturbée parce qu'elle n'a pas pu avoir son chèque d'aide sociale, « Mama Sue » est réconfortée par une amie. Les deux femmes font partie d'un groupe de sans-abri, « The Family », vivant dans un parc de San Francisco.

Nikon 2000, 50 mm, Kodak Tri-X/135, Exp. f5.6-1/60

Minh Qúy
Vietnam

Minh Qúy a suivi une formation universitaire de professeur des beaux-arts au Vietnam. Il travaille comme photographe professionnel et possède son propre studio à Hô Chi Minh-Ville depuis 1987.

© 1991 Minh Qúy

Deux sœurs, toutes deux âgées de plus de 80 ans, s'embrassent affectueusement et partagent un moment intime dans la province vietnamienne de Binh Duöng.

Nikon FM2, 35–135 mm, Konica/135, Exp. f5.6-1/60

Rogério Ribeiro
Brésil

Rogério Ribeiro s'intéresse à la photographie depuis qu'on lui a offert son premier appareil photo à l'âge de 7 ans. Il a fait des études de photographie dans le cadre d'un cursus artistique à l'université fédérale de Rio Grande Do Sul, au Brésil. Il reste dans son domaine d'intérêt en étudiant actuellement l'histoire de la photographie et en développant un projet de portraits de famille.

© 1982 Rogério Ribeiro

Soutien de famille – dans les rues de Porto Alegre, au Brésil, ce jeune Brésilien portant sa caisse de cireur à l'épaule pose un bras protecteur sur son petit frère.

Yashica FX, 38 mm, Kodak Tri-X/135, Exp. f5.6-1/60

Malie Rich-Griffith
États-Unis

Malie Rich-Griffith vit à Santa Fe, dans l'archipel d'New Mexico. Sa fascination pour la photographie date d'un voyage en Afrique de l'Est effectué en 1994. Depuis, elle a beaucoup voyagé pour s'adonner à sa passion.

© 1997 Malie Rich-Griffith

Rire communicatif entre trois amies du village de Mgahinga, en Ouganda.

Canon EOS 1N, 28–135 mm, Kodak E100S/135, Exp. f5.6-1/125

Simon Roberts
Royaume-Uni

Photographe londonien, Simon Roberts est représenté par l'agence Growbag de talents créatifs. Ses travaux ont paru dans des magazines, notamment *Life*, le *Sunday Times* et *Stern*. Il a été entre autres désigné Jeune photographe de l'année au concours Ian Parry sponsorisé par le *Sunday Times* de Londres.

© 1999 Simon Roberts

Retraite active – ces trois « oiseaux de neige » américains ont migré vers les États du Sud, à la température plus clémente. Membres d'un groupe de nudistes, ils se réunissent pour jouer et apprécier soleil et liberté dans le désert de l'Arizona.

Bronica ETSRI, 85 mm, Ilford FP4 Plus/120, Exp. f8-1/250

Nicholas Ross
Royaume-Uni

Nicholas Ross est ingénieur dans la prospection minière. Photographe amateur, il emporte toujours son appareil photo lors de ses déplacements dans le monde entier.

© 1999 Nicholas Ross

Large sourire – l'amitié de cette jeune Indienne de 12 ans et de Mala, sa compagne aveugle, s'épanouit sur un trottoir poussiéreux des bidonvilles de Bombay.

Rolleiflex 6008, 75 mm, Kodak/120, Exp. f5.6-1/125

Janice Rubin
États-Unis

Janice Rubin est photographe au Texas. Depuis 1976, ses travaux ont été publiés aux États-Unis et en Europe, notamment par *Newsweek, Fortune, Rolling Stone* et le *New York Times*. Elle a exposé au Canada, aux États-Unis et aux Pays-Bas, et certaines de ses œuvres figurent dans la collection permanente du musée des Beaux-Arts de Houston.

© 1993 Janice Rubin

Sourires d'encouragement – ces deux petites danseuses de 6 ans, Natasha et Mitalee, s'encouragent mutuellement du regard avant de se présenter au public nombreux du Festival international de Houston.

Canon F1, 85 mm, Fuji RDP/135, Exp. non communiquée

Mike Ryan
États-Unis

Né en Californie, Mike Ryan a servi dans l'US Peace Corps (organisation de volontaires pour l'aide aux pays en voie de développement, *NdT*) dans les années 1960. Passionné de photo, il a installé à la même époque une chambre noire pour pratiquer son art dans un atoll isolé des îles Marshall. En 1968, parcourant l'Asie du Sud-Est, il a constitué un portfolio qui l'a lancé dans la photo professionnelle. Il réalise aujourd'hui des natures mortes pour la publicité ainsi que des photos d'art dans le Massachusetts.

© 1968 Mike Ryan

Aux îles Marshall, dans le Pacifique, deux tout-petits serrés l'un contre l'autre regardent d'autres enfants lors d'une fête.

Nikon F, 50 mm, Kodak/135, Exp. non communiquée

Seifollah Samadian Ahangar
Iran

Titulaire d'un diplôme supérieur de traduction anglaise, Seifollah Samadian Ahangar a débuté dans la photographie en 1970. Il enseigne actuellement le photojournalisme à l'université de Téhéran, tout en étant directeur et rédacteur en chef de *Tassuir*, revue mensuelle d'arts visuels. Ses photos ont été exposées en France, en Suisse et au musée d'Art contemporain de Téhéran.

© 1989 Seifollah Samadian Ahangar

Portrait d'une amitié – à Grumieh, Acadollah et Mohammed ont pris pour cette photo la pose traditionnelle et historique des athlètes iraniens.

Nikon Nikormat, 24 mm, Kodak/135, Exp. f8-1/60

Aranya Sen
Inde

Aranya Sen est né à Calcutta, en Inde. Après des études de journalisme, il a travaillé comme photographe de presse indépendant pour de nombreux journaux différents, le magazine *Soviet Land* et l'agence russe Novosti. Actuellement Aranya travaille pour *Kalantar*, un journal de Calcutta.

© 1999 Aranya Sen

Une main tendue – de sa petite main, Babloo, un gamin des rues de 6 ans, aide trois amis aveugles à traverser la chaussée pour rejoindre leur école, à Calcutta, en Inde.

Nikon 801S, 80–200 mm, Nova/135, Exp. f11.5-1/125

Pisit Senanunsakul
Thaïlande

Photographe professionnel en Thaïlande, Pisit Senanunsakul dirige un studio spécialisé dans la photo de mariage, le portrait individuel et les services photographiques.

© 1999 Pisit Senanunsakul

À Chiang Rai, deux amis se racontent des histoires drôles tout en accomplissant leur travail quotidien, qui consiste à faire sécher une plante de la région pour fabriquer des balais.

Canon EOS 1, 70–200 mm, Fuji ISO 50/135, Exp. f8

Antony Soicher
Afrique du Sud

Originaire de Johannesburg, le Sud-Africain Antony Soicher a étudié la photographie au lycée. Ses travaux, essentiellement consacrés au documentaire et à la vie de la rue, s'attachent aux thèmes de l'intimité et de l'humour. Il a publié quatre ouvrages de photographie en édition limitée sur ces sujets.

© 1991 Antony Soicher

Flagrant délit – jeunes fumeurs regroupés dans un coin d'un parc de Johannesburg, en Afrique du Sud, pour savourer une cigarette en cachette.

Leica M3, 50 mm, Kodak T-max 400/135, Exp. non communiquée

Kailash Soni
Inde

Photographe né en Inde, Kailash Soni a publié ses photos dans divers journaux et magazines de son pays. Lauréat du prix d'Amérique des 10 meilleurs photographes mondiaux en 1995, il a aussi obtenu le premier prix du Salon de photographie PAI All India en 1998.

© 1999 Kailash Soni

La conversation s'engage facilement entre ces deux amis qui se détendent devant le temple de Shiva de Bilawal, au Dewas, en Inde.

Nikon FM2, f1.7, Pro Kodak/135, Exp. f8-1/125

Serena Stevenson
Nouvelle-Zélande

Serena Stevenson a fait des études de photographie en Nouvelle-Zélande à l'école de design Unitech. Elle a ensuite été assistante pendant trois ans avant de s'établir comme photographe indépendante. Photographiant surtout des personnes, elle travaille actuellement pour de nombreux magazines et agences publicitaires.

© 1998 Serena Stevenson

Main dans la main – deux amis sur les pavés de Göreme, village de Cappadoce, en Turquie.

Nikon 28 TI, 28 mm, Optimia 400/135, Exp. non communiquée

Guy Stubbs
Afrique du Sud

Après une formation de cinq ans en Afrique du Sud, Guy Stubbs jouit aujourd'hui d'une réputation internationale. Il réalise une grande partie de son travail en Afrique du Sud, où il se consacre aux espoirs et aux attentes de ses compatriotes. Il s'est également rendu en Inde pour photographier les projets hydrauliques et sanitaires des régions les plus démunies.

© 1996 Guy Stubbs

Des visages inconnus – ces jeunes Bothos sont fascinés par Joshua, 16 mois, car il est le premier enfant blanc qu'ils aient jamais vu dans leur village de Bokong, dans les montagnes du Lesotho.

Nikon F4, 75–300 mm, Kodak T-max/135, Exp. non communiquée

Joan Sullivan
Canada

Fille d'un photographe, Joan Sullivan a été nutritionniste pendant dix ans avant de se consacrer à plein temps à la photographie. Elle vit à Québec, mais effectue de fréquents voyages aux quatre coins du monde.

© 1989 Joan Sullivan

Le babysitter – dans les contreforts de l'Himalaya, un grand-père népalais surveille ses deux petits-enfants tandis qu'un jeune porteur lui donne des nouvelles de Katmandou.

Nikon FM, 35–105 mm, Kodachrome 64/135, Exp. f8-1/125

Noelle Tan
États-Unis

Originaire de Manille, dans les Philippines, Noelle Tan a suivi sa famille aux États-Unis, et a fait des études de photographie à l'université de New York. Elle a ensuite travaillé au musée d'Art moderne de cette ville puis a dirigé une entreprise de photographie. Ses travaux ont été exposés aux États-Unis.

© 1990 Noelle Tan

À l'enthousiasme de Bonnie répond le sourire ravi de son amie Nancy, à Washington.

Nikon F3 HP, 35 mm, Kodak/135, Exp. non communiquée

Tran Cong Thanh
Vietnam

Né au Vietnam, Tran Cong Thanh est photographe professionnel depuis 1983. Il est membre de l'Association d'art photographique du Vietnam et a remporté en 1999 le deuxième prix d'un concours de photos d'environnement dans la province de Binh Thuan.

© 1998 Tran Cong Thanh

De bonnes voisines – ces trois Vietnamiennes, dont l'amitié remonte à plus de cinquante ans, se rendent mutuellement visite dans leur village de montagne de la province de Binh Thuan.

Nikon Nikkormat, 28–70 mm, Kodak Gold/135, Exp. f8

Hank Willis Thomas
États-Unis

Hank Willis Thomas est photographe professionnel à Washington. Son intérêt pour la photographie a été nourri par les recherches que sa mère a effectuées sur l'histoire des photographes noirs américains. Il a fait des études de photographie et d'africanisme à l'université de New York et ses travaux ont été exposés à New York et à Washington.

© 1997 Hank Willis Thomas

Trois amies forment une image dans l'image au cours d'une Million Women March à Philadelphie.

Pentax 6 x 7, 75 mm, Fuji NPH/120, Exp. non communiquée

Marianne Thomas
États-Unis

Marianne Thomas a fait des études de journalisme à l'université de Syracuse aux États-Unis, et de photographie au Daytona Beach Community College. Après avoir séjourné au Venezuela dans les Peace Corps, elle a travaillé comme reporter, photographe et rédactrice photo dans différentes publications. Depuis 1992, elle est rédactrice photo au *San Francisco Chronicle*.

© 1981 Marianne Thomas

John David Bethel donne une tape amicale à Eric Hinze, son « petit pote ». Les deux garçons sont atteint de spina-bifida, maladie de la colonne vertébrale. Ils jouent tandis que leurs parents assistent à la réunion d'un groupe de soutien en Floride.

Nikon, Kodak Tri-X/135, Exp. non communiquée

© 1983 Marianne Thomas

Compagnons proches – William Bossidy prête une oreille attentive à son ami John Noonan. Ils résident tous deux dans la même maison de retraite en Floride.

Nikon, Kodak Tri-X/135, Exp. non communiquée

Dô Anh Tuân
Vietnam

Photographe depuis 1991, Dô Anh Tuâ est également peintre et musicien. Il est membre de l'Association de photographie artistique de Hanoi et de l'Association de photographie.

© 1996 Dô Anh Tuân

Bras dessus, bras dessous – un sourire illumine le visage de ces trois vieilles amies réunies à l'occasion d'une fête dans la ville de Bac Ninh, au Vietnam.

Nikon F3 HP, 2.0/24 mm, Ilford Pan 400/135, Exp. f5.6-1/250

Charley Van Dugteren
Afrique du Sud

Vivant en Afrique du Sud, Charley Van Dugteren a obtenu un diplôme de photographie du Peninsula Technikon de la ville du Cap. Elle a travaillé comme assistante pendant ses études, puis, munie de son diplôme, est devenue photographe professionnelle, surtout auprès de magazines. Spécialisée dans le portrait, le voyage et la gastronomie, elle prépare actuellement un recueil de photos sur les vignobles d'Afrique du Sud.

© 1997 Charley Van Dugteren

Deux amis se rapprochent pour s'entendre dans un bruyant « shebeen » (café) du Cap.

Nikon F3, 35 mm, Ilford Delta 400/135, Exp. f2.8-1/8

Ann Versaen
Belgique

Ann Versaen vit à Strombeek-Bever, en Belgique, où elle exerce le métier d'infirmière. Elle a étudié la photographie en cours du soir et certaines de ses photos sont aujourd'hui présentées lors d'expositions dans son pays natal.

© 1994 Ann Versaen

Deux jeunes amis dans les rues de la ville tibétaine de Xigazê.

Canon EOS 1000, 35–80 mm, Kodak Gold/135, Exp. non communiquée

Alison Williams
États-Unis

Alison Williams a obtenu une licence de beaux-arts à l'Institut de technologie de Rochester, aux États-Unis. Elle a ensuite coopéré au Mali dans le cadre des Peace Corps (organisation de volontaires pour l'aide aux pays en voie de développement, *NdT*), ce qui lui a permis de se livrer à la photo documentaire dans un milieu différent.

© 1998 Alison Williams

Une amitié d'enfance s'achève dans les larmes – une jeune fille est emmenée au village de son fiancé, à 20 kilomètres de là. Les adieux avec ses amies sont particulièrement émouvants.

Nikon FM2, 24 mm, Kodak Tri-X/135, Exp. f11-1/60

David Williams
Royaume-Uni

David Williams est photographe d'exposition professionnel abordant une grande variété de domaines, du documentaire à l'art vidéo. Lauréat du prix « 150 ans de photographie » de BBC Scotland, il dirige actuellement le College of Arts d'Édimbourg.

© 1984 David Williams

Une tradition anglaise – des chaises longues alignées sur la jetée constituent un décor classique de vacances pour trois amis qui se reposent à Brighton, dans le sud de l'Angleterre.

Nikon FM, 28 mm, Kodak Tri-X/135, Exp. f11-1/250

Terry Winn
Nouvelle-Zélande

Terry Winn exerce le métier de photographe depuis 1979 à Auckland, en Nouvelle-Zélande. Avec son épouse, il dirige un studio qui réalise des portraits, publie des livres, des calendriers et des cartes de vœux. Terry est membre de l'Institut des photographes professionnels de Nouvelle-Zélande.

© 1993 Terry Winn

Le meilleur ami de l'homme – Jonathan, 9 ans, s'apprête à plonger dans l'eau, sur son lieu de baignade préféré, à Auckland, en Nouvelle-Zélande. Son chien ne tardera pas à le suivre.

Hasselblad CM, 150 mm, Kodak Plus-X/120, Exp. f8-1/125

King Tuang Wong
Malaisie

King Tuang Wong est représentant de commerce au Sarawak, en Malaisie, et ses déplacements professionnels lui permettent de se livrer à la photo en amateur. Il est secrétaire de la Société photographique de Sibu, au Sarawak.

© 1999 King Tuang Wong

À Ruman Bilar, en Malaisie, de jeunes amis passent une bonne soirée au bord de l'eau.

Nikon F90, 2.8/80–200 mm, Kodak/135, Exp. f4-1/250

**LAURÉAT DE LA CATÉGORIE « AMITIÉ »
AU CONCOURS M.I.L.K.**

M·I·L·K™

MOMENTS INTIMACY LAUGHTER KINSHIP

Tous droits de reproduction des images photographiques appartiennent aux photographes qui ont concédé à M.I.L.K. Licensing Limited le droit exclusif d'en faire usage. Publié en 2002 par M.I.L.K. Publishing Limited (membre du Hodder Headline Group), Studio 3.11, Axis Building, 1 Cleveland Road, Parnell, Auckland, Nouvelle-Zélande. Tous droits réservés. Aucun extrait de l'ouvrage ne peut être reproduit (excepté de courts passages utilisés dans la presse pour la promotion de l'ouvrage), archivé ou communiqué sous quelque forme que ce soit, par quelque moyen envisagé (électronique, mécanique, photocopie, multimédia ou autre) sans l'autorisation écrite préalable expresse de l'éditeur.

Nous tenons à remercier tout particulièrement les personnes, sociétés et organisations mentionnées ci-dessous dont l'aide nous a été précieuse pour mener à bien la réalisation du projet M.I.L.K. – Ruth Hamilton, Ruth-Anna Hobday, Claudia Hood, Nicola Henderson, Liz McRae, Brian Ross, Don Neely, Kai Brethouwer, Vicki Smith, Rebecca Swan, Bound to Last, Designworks, Image Centre Limited, Logan Brewer Production Design Limited, KPMG Legal, Lowe Lintas & Partners, Midas Printing Group Limited, MTA Arts for Transit, Print Management Consultants, Sauvage Design, Mary-Ann Lewis, Vibeke Brethouwer et Karen Pearson.

Nos remerciements vont également à David Bladock, Julika Batten, Anne Bayin, Sue Bidwill, Janet Blackwell, John Blackwell, Susanna Blackwell, Sandra Bloodworth, Soma Carroll, Mona Chen, Patrick Cox, Malcolm Edwards, Michael Fleck, Lisa Highton, Anne Hoy, C. K. Lau, Liz Meyers, James Mora, Paddianna Neely, Grant Nola, Ricardo Ordoñez, Kim Phuc, Chris Pitt, Tanya Robertson, Margaret Sinclair, Marlis Teubner, Nicki White.

Par ailleurs, nous remercions les éditeurs cités ci-dessous de nous avoir autorisés à reproduire certaines des citations présentes dans ces pages. S'il se trouvait certaines omissions malgré tous les efforts déployés pour retrouver les auteurs ou leurs ayants droit, nous serions reconnaissants aux intéressés de bien vouloir nous les signaler.

Chef du jury Elliott Erwitt. Direction artistique Lucy Richardson.

© 2002, Éditions du Chêne - Hachette Livre, pour la présente édition.

Supervision de l'édition française : Brigitte Leblanc

assistée de Stéphanie Mastronicola

Traduction : Françoise Fauchet et Chantal Philippe

Lecture-correction : Dominique Montembault

Mise en pages pour l'édition française : Nadine Gautier-Quentin

ISBN 284 277 440- X

Dépot légal 24 849, septembre 2002

34/1602/1 - 01